19
C
1234
ony
1908
Wı
190
obı
190
Wı
9

KANNST DU NICHT SCHLAFEN, KLEINER BÄR?

Für Rachel Claire
M. W.

*Für Genevieve
und Asher*
B. F.

Die Deutsche Bibliothek – CIP-Einheitsaufnahme
Waddell, Martin:
Kannst du nicht schlafen, kleiner Bär?
Text von Martin Waddell. Ill. von Barbara Firth.
[Aus d. Engl. von Regina Zwerger]. –
Wien; München: Betz, 1989
Einheitssacht.: Can't you sleep, little bear?
ISBN 3-219-10423-1
NE: Firth, Barbara:

B 489/2
Aus dem Englischen von Regina Zwerger
Originaltitel "Can't you sleep, little bear?", erschienen
bei Walker Books, London
Text © 1988 by Martin Waddell
Illustrationen © 1988 by Barbara Firth
Gesetzt nach der neuen Rechtschreibung
© der deutschsprachigen Ausgabe bei Annette Betz Verlag
im Verlag Carl Ueberreuter, Wien – München
Printed in Italy
19 21 20

KANNST DU NICHT SCHLAFEN, KLEINER BÄR?

Text von Martin Waddell

Bilder von Barbara Firth

Annette Betz Verlag

Es waren einmal zwei Bären.
Der große hieß großer Bär und der kleine hieß kleiner Bär.
Den ganzen Tag über spielten sie draußen im Sonnenschein.
Wenn die Sonne unterging und der Abend kam,
ging der große Bär mit dem kleinen Bären
nach Hause in die Bärenhöhle.

Der große Bär brachte den kleinen Bären ins Bett,
dort, wo die Bärenhöhle ganz dunkel ist.
»Schlaf schön, kleiner Bär«, sagte er.
Und der kleine Bär versuchte es.
Der große Bär machte es sich im
Bärenlehnstuhl gemütlich.
Im Schein des Kaminfeuers las er sein
Bärenbuch. Aber der kleine Bär konnte
nicht schlafen.

»Kannst du nicht schlafen, kleiner Bär?«,
fragte der große Bär. Er legte sein Bärenbuch zur
Seite (gerade jetzt war es so spannend) und tapste
hinüber zum Bett des kleinen Bären.
»Ich fürchte mich«, sagte der kleine Bär.
»Warum fürchtest du dich, kleiner Bär?«,
fragte der große Bär.
»Ich mag die Dunkelheit nicht«,
sagte der kleine Bär.
»Was für eine Dunkelheit?«,
fragte der große Bär.
»Die Dunkelheit rundherum«,
sagte der kleine Bär.

Der große Bär schaute sich um. Da sah er, dass der dunkle Teil der Bärenhöhle wirklich sehr dunkel war.
Er ging zum Laternenschränkchen und nahm die kleinste Laterne, die er finden konnte.
Er zündete sie an und stellte sie dicht ans Bett des kleinen Bären.

»Da hast du ein kleines Licht, damit du dich nicht mehr fürchtest, kleiner Bär«, sagte der große Bär.

»Danke, großer Bär«, sagte der kleine Bär und kuschelte sich in die Kissen.

»Jetzt schlaf schön, kleiner Bär«, sagte der große Bär, tapste zurück zum Bärenlehnstuhl und machte es sich gemütlich, um im Schein des Kaminfeuers sein Bärenbuch zu lesen.

Der kleine Bär versuchte zu schlafen, aber es ging nicht.
»Kannst du nicht schlafen, kleiner Bär?«, fragte der große
Bär gähnend. Er legte sein Bärenbuch zur Seite
(es fehlten gerade noch vier Seiten bis zum spannenden Ende)
und tapste hinüber zum Bett.
»Ich fürchte mich«, sagte der kleine Bär.
»Warum fürchtest du dich, kleiner Bär?«, fragte der
große Bär.
»Ich mag die Dunkelheit nicht«, sagte der kleine Bär.
»Was für eine Dunkelheit?«, fragte der große Bär.
»Die Dunkelheit rundherum«, sagte der kleine Bär.
»Aber ich hab dir doch eine Laterne gebracht!«,
sagte der große Bär.
»Ja, aber nur eine ganz kleine«, sagte der kleine Bär,
»und die Dunkelheit ist so groß.«
Der große Bär schaute sich um und sah,
dass der kleine Bär Recht hatte.
So ging der große Bär zum Laternenschränkchen und
nahm eine größere Laterne heraus. Er zündete sie an und
stellte sie neben die andere.

»Jetzt schlaf schön, kleiner Bär«, sagte der große Bär, tapste zurück zum Bärenlehnstuhl und machte es sich gemütlich, um im Schein des Kaminfeuers sein Bärenbuch zu lesen. Der kleine Bär versuchte zu schlafen, aber es ging nicht.

»Kannst du nicht schlafen, kleiner Bär?«, stöhnte der große Bär, legte sein Bärenbuch zur Seite (es fehlten nur noch drei Seiten) und tapste hinüber zum Bett.

»Ich fürchte mich«, sagte der kleine Bär.

»Warum fürchtest du dich, kleiner Bär?«, fragte der große Bär.

»Ich mag die Dunkelheit nicht«, sagte der kleine Bär.

»Was für eine Dunkelheit?«, fragte der große Bär.

»Die Dunkelheit rundherum«, sagte der kleine Bär.

»Aber ich hab dir doch zwei Laternen gebracht«, sagte der große Bär. »Eine kleine und eine größere.«

»Viel größer ist die nicht«, sagte der kleine Bär.

»Und die Dunkelheit ist noch immer sehr groß.«

Der große Bär dachte nach. Dann ging er
zum Laternenschränkchen und nahm
die allergrößte Laterne heraus, die mit den
zwei Handgriffen und einem Stückchen Kette
zum Aufhängen. Er hängte die Laterne
über das Bett des kleinen Bären.
»Ich hab dir die allergrößte Laterne gebracht,
kleiner Bär«, sagte er. »Mit der wirst du dich
nicht mehr fürchten.«
»Danke, großer Bär«, sagte der kleine Bär,
kuschelte sich in die Kissen und sah zu,
wie die Schatten auf den Wänden tanzten.
»Jetzt schlaf schön, kleiner Bär«,
sagte der große Bär, tapste zurück zum
Bärenlehnstuhl und machte es sich gemütlich,
um im Schein des Kaminfeuers
sein Bärenbuch zu lesen.

Der kleine Bär versuchte es . . .
wieder und wieder . . .,
aber er konnte nicht schlafen.

»Kannst du nicht schlafen, kleiner Bär?«, brummte der
große Bär, legte sein Bärenbuch
zur Seite (es fehlten noch zwei
Seiten) und tapste hinüber
zum Bett.

»Ich fürchte mich«, sagte der kleine Bär.
»Warum fürchtest du dich, kleiner Bär?«, fragte
der große Bär.
»Ich mag die Dunkelheit nicht«, sagte der kleine Bär.
»Aber ich hab dir die allergrößte Laterne gebracht
und jetzt ist es doch überhaupt nicht mehr dunkel«,
sagte der große Bär.
»O ja, doch«, sagte der kleine Bär, »da – da draußen!«
Und er zeigte zum Ausgang der Bärenhöhle,
hinaus in die Nacht.

Da sah der große Bär, dass der kleine Bär Recht hatte.
Der große Bär war ratlos: Nicht einmal alle Laternen der
Welt hätten diese Dunkelheit erhellen können.
Der große Bär dachte lange nach. Dann sagte er:
»Komm, kleiner Bär.«
»Wohin gehen wir?«, fragte der kleine Bär.
»Hinaus«, sagte der große Bär.
»Hinaus in die Dunkelheit?«, fragte der kleine Bär.
»Ja«, sagte der große Bär.
»Aber ich fürchte mich vor der Dunkelheit!«,
sagte der kleine Bär.
»Das brauchst du nicht«, sagte der große Bär
und er nahm den kleinen Bären an den Tatzen und
führte ihn aus der Höhle, hinaus in die Nacht.

Und es war . . .

FINSTER!
»Huuu! Ich fürchte mich!«, sagte der kleine
Bär und drückte sich ganz fest an den
großen Bären. Der große Bär nahm den
kleinen Bären hoch und sagte: »Schau dir
die Dunkelheit doch an, kleiner Bär.«
Und der kleine Bär schaute.

»Ich hab dir den Mond gebracht, kleiner Bär«, sagte der große Bär.
»Den großen leuchtenden Mond und die funkelnden Sterne.«

Doch der kleine Bär antwortete nicht, denn er war
eingeschlafen. Er schlief tief und fest und geborgen in den
Armen des großen Bären.

Der große Bär trug den kleinen schlafenden Bären
behutsam zurück in die Bärenhöhle.

Der große Bär setzte sich in seinen Bärenlehnstuhl.

Mit der einen Tatze hielt er den kleinen schlafenden Bären,
in der anderen sein Bärenbuch. Jetzt war es endlich richtig
gemütlich im warmen Schein des Kaminfeuers.

Und der große Bär konnte sein Bärenbuch lesen – bis zum

ENDE